Regine Schindler
Margret Rettich · Reinhard Herrmann

Alles ist neu

Fibel für den Religionsunterricht

VERLAG ERNST KAUFMANN
Lahr/Schwarzwald

VERLAG MORITZ DIESTERWEG
Frankfurt am Main · Berlin · München

Inhalt

Geschichte von Martin und Anne und alle Texte:
Regine Schindler
Theologische Beratung: Walther Eisinger

Bilder zu der Geschichte von Martin und Anne
und Umschlaggestaltung: Margret Rettich

Bilder zu den biblischen Geschichten:
Reinhard Herrmann

Die Bilder zur Josefsgeschichte sind aus:
Anneliese Pokrandt/Reinhard Herrmann: Elementarbibel Bd. 1,
Verlag Ernst Kaufmann, Lahr, und Kösel-Verlag, München.

ISBN 3-7806-0322-5 (Kaufmann)
ISBN 3-425-07648-5 (Diesterweg)

1. Auflage

Genehmigt für den Gebrauch in Schulen.
Genehmigungsdaten teilt der Verlag auf Anfrage mit.

Gesamtherstellung: Druckhaus Ernst Kaufmann, Lahr

Martin und Anne

Heute ist alles neu.
Lieber Gott, hilf uns!

Wir reden von Jesus.
Wir reden von Gott.
Wir reden von den Menschen.

Gott, ich danke dir für diesen Tag!
Für alles Schöne, das ich mag!
Für meine Freunde, fürs Spielen, fürs Essen!
Gott, du hast mich nicht vergessen!

Amen.

Ich renne gern, ich liebe das Rennen.
Ich lerne neue Straßen kennen.

Ich saus mit dem Rad, ich liebe das Sausen.
Ich höre den Wind um die Ohren brausen.

Ich lache gern, ich liebe das Lachen.
Ich weiß so viele lustige Sachen.

Ich rede gern, ich liebe das Reden.
Mein Freund hört zu, er sitzt daneben.

Fürs Rennen, Sausen, Lachen und Reden
dank ich dir Gott, du hast alles gegeben!

Amen.

Martin ist traurig.
Anne ist froh.

Martin ist allein.
Wer hilft ihm?

Danke, Anne!
Martin ist wieder froh.

Martin zeigt seine Laterne.
Ist sie nicht schön?
Wir machen es wie Martin!

Die Lehrerin hilft.
Wir helfen einander.
Das macht Spaß.

Wir wollen Freude bringen!
Wir wollen Lieder singen!

Licht kommt in die Dunkelheit
in dieser kalten, trüben Zeit!

Gott, ich danke dir für meine Laterne.
Gott, ich danke dir für die Sterne.
Ich danke dir für jedes Licht,
das die Finsternis durchbricht.

Amen.

Lieber Gott!
Heute schien die Sonne auf unsere Stadt.
Heute waren wir so froh beim Basteln.
Heute freuten wir uns an gutem Essen.

Lieber Gott!
Heute hatten Kinder Angst.
Heute waren alte Leute einsam und traurig.
Heute fuhr der Krankenwagen vorbei.

Lieber Gott!
Hilf uns, dies alles zu verstehen!
Wir danken dir für alles Schöne!
Wir bitten dich für Einsame und Kranke!

Amen.

Jesus ist zu uns gekommen.
Jesus ist das Licht der Welt.

Bald feiern wir den Geburtstag Jesu.
Wir freuen uns darauf.

Macht hoch die Tür, die Tor macht weit!
Es kommt der Herr der Herrlichkeit,
ein König aller Königreich,
ein Heiland aller Welt zugleich,
der Heil und Leben mit sich bringt.
Derhalben jauchzt, mit Freuden singt:
gelobet sei mein Gott,
mein Schöpfer reich von Rat.

O wohl dem Land, o wohl der Stadt,
so diesen König bei sich hat.
Wohl allen Herzen insgemein,
da dieser König ziehet ein.
Er ist die rechte Freudensonn,
bringt mit sich lauter Freud und Wonn.
Gelobet sei mein Gott,
mein Tröster früh und spat.

Vom Himmel hoch da komm ich her.

Euch ist ein Kindlein heut geborn.

Ich möchte eine Puppe, die spricht.
Ich wünsche mir ein Fahrrad mit Licht.
Ich möchte das Buch mit der Micky-Maus.
Weihnachten kommt in unser Haus!

Für den Vater will ich ein Bilderbuch kleben.
Für die Mutter die kleine Tasche weben.
Für Großmutter schneid ich die Sterne aus.
Weihnachten kommt in unser Haus!

Ich will wünschen, ich will schenken.
Ich will ans Kind in der Krippe denken.

Jesus!
Heute ist dein Geburtstag.
Wir zünden Kerzen an.
Wir sind froh.
Die Lichter machen das Dunkel schön.

Jesus!
Du bist in die Welt gekommen.
Du machst die Welt hell.
Du machst uns froh.
Wir danken dir!

Jesus

Jesus lebt in diesem Land.

Das Land heißt Galiläa.

Jesus zieht durch das Land.
Jesus hilft den Menschen.
Jesus erzählt von Gott.
Jesus will die Menschen glücklich machen.

Petrus und Andreas sind Fischer.
Sie werfen ihre Netze aus.
Jesus kommt zu ihnen.
Er ruft sie zu sich:
„Kommt mit mir!“

Petrus und Andreas sagen:
„Jesus gehört zu Gott.
Wir wollen bei Jesus bleiben."
Sie verlassen ihre Schiffe.

Auch Jakobus und Johannes wollen
von Gott hören.
Sie wollen Schüler von Jesus sein.
Sie folgen Jesus.
Sie sind seine Jünger.

Bartimäus bettelt am Wegrand.
Bartimäus ist blind.

Er hört, daß Jesus kommt.
Er schreit: „Jesus, ich brauche dich!"
Er weiß: Jesus kann alles gut machen.
Jesus kommt von Gott.
Jesus ist Gottes Sohn.

Jesus steht still.
„Was soll ich für dich tun?“
„Mache meine Augen
wieder gesund!“
Jesus sagt:
„Schau mich an!“

Da kann Bartimäus wieder sehen.
Er folgt Jesus.
Er dankt Gott.

Levi ist ein Zöllner.
Er sitzt in seinem Zollhaus.
Er bekommt viel Geld.
Levi ist reich.
Aber niemand hat ihn gern.

Jesus kommt zu Levi.

Jesus ißt mit Levi.
Jesus sagt: „Du gehörst zu mir.
Folge mir nach!“

Levi verläßt sein Zollhaus.

Jesus erzählt von Gott.

Auch die Kinder wollen dabei sein.
Da sagen die Jünger: „Die Kinder stören.“
Aber Jesus nimmt die Kinder zu sich.
Alle dürfen bei Jesus sein.

Jesus sagt:
„Gott sorgt für alle.
Gott ist wie ein guter Vater.
Gott ist wie ein guter Hirte."

Vater unser im Himmel.
Geheiligt werde dein Name.
Dein Reich komme.
Dein Wille geschehe wie im Himmel,
so auf Erden.
Unser tägliches Brot gib uns heute.
Und vergib uns unsere Schuld,
wie auch wir vergeben unsern Schuldigern.
Und führe uns nicht in Versuchung,
sondern erlöse uns von dem Bösen.
Denn dein ist das Reich
und die Kraft und die Herrlichkeit
in Ewigkeit.

Amen.

Anne hat den Schlüssel verloren.
Was nun?

Anne sagt: „Ich möchte auch Geschwister haben."
Martin sagt: „Die Mutter hat keine Zeit für mich."

Abends bei Martin und Anne.

Sabine sagt:
„Bei uns ist das anders.
Meine Mutti und ich wohnen ganz allein."

Thomas sagt:
„Bei uns ist das anders.
Wir sind neun Kinder und wohnen
in einem großen alten Haus."

Hans sagt:
„Bei uns ist das anders.
Der Papa wäscht die Windeln.
Die Mama arbeitet im Geschäft."

Eva sagt:
„Bei uns ist das anders.
Mein Vater ist abends laut und böse.
Wir haben Angst vor ihm."

Meine Wunschfamilie

Mein Vater ist ein starker Mann,
der auf Bäume klettern kann.
Er sagt nicht immer: „Du bist zu klein!“
So sollte mein Vater sein!

Meine Mutter ist eine lustige Frau.
Sie erzählt mir alle Geschichten genau.
Sie sagt nicht immer: „Du bleibst daheim!“
So sollte meine Mutter sein!

Meine Schwester ist ein schönes Kind.
Wenn ich sie brauche, kommt sie geschwind.
Sie sagt nicht immer: „Du bist gemein!“
So sollte meine Schwester sein!

Mein Bruder ist ein winziger Junge.
Er lacht im Körbchen. Er schnalzt mit der Zunge.
Er sagt noch nichts. Er mischt sich nicht ein.
So sollte mein kleiner Bruder sein!

Die Geschichte von Josef

Jakob hat zwölf Söhne.
Einer von ihnen heißt Josef.
Jakob hat Josef lieber als seine anderen Söhne.
Jakob schenkt Josef ein kostbares buntes Kleid.
Darüber werden seine Brüder böse.

Josef erzählt den Brüdern einen Traum:
„Wir alle banden Garben auf dem Felde.
Eure Garben verneigten sich
vor meiner Garbe."
Das hören die Brüder nicht gern.
„Du willst unser König sein", sagen sie.

Josef erzählt:
„Ich sah im Traum Sonne, Mond und Sterne.
Sie verneigten sich vor mir."
Da wird Jakob zornig:
„Willst du mehr sein als dein Vater,
deine Mutter und alle deine Brüder?"

Josefs Brüder hüten die Schafe.
Josef kommt zu ihnen.
Die Brüder sagen:
„Da kommt der Träumer in seinem bunten Kleid."
Sie werfen ihn in einen leeren Brunnen.

Die Brüder verkaufen Josef.
Die Kaufleute reisen mit Josef nach Ägypten.
Zu Jakob sagen die Brüder:
„Ein wildes Tier hat Josef getötet."

Josef wird Sklave in Ägypten.
Er gehört Potifar, einem reichen Herrn.
Josef macht seine Arbeit gut.
Gott ist mit ihm.

Josef wird zum obersten Knecht des Potifar.
Aber Potifars Frau macht Josef schlecht.
Sie sagt: „Josef war böse zu mir."
Das ist eine Lüge.

Doch Potifar glaubt seiner Frau.
Er läßt Josef ins Gefängnis sperren.

Gott beschützt Josef auch im Gefängnis.
Josef hilft den Gefangenen.
Er erklärt ihre Träume.

Der Pharao ist der König von Ägypten.
Er hat zwei Träume.

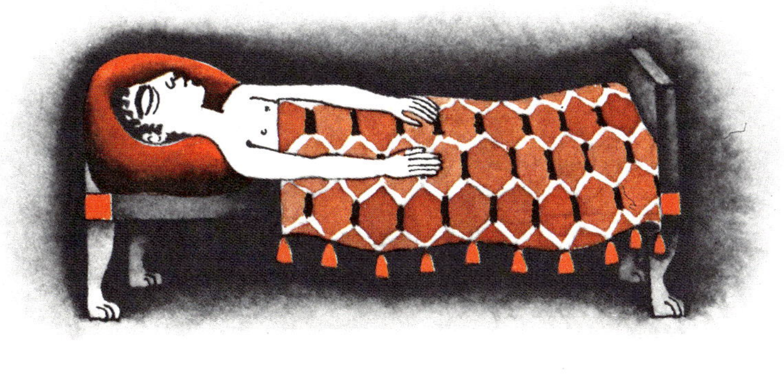

Er kann seine Träume nicht erklären.
Der Pharao hat Angst.
Seine Diener holen Josef.

Josef sagt:
„Gott hat dir diese Träume geschickt.
Beide bedeuten das Gleiche.
Die sieben dicken Kühe
und die sieben schönen Ähren
sind sieben gute Jahre.
Die sieben mageren Kühe
und die sieben dünnen Ähren
sind sieben Hungerjahre.

Pharao, du brauchst einen klugen Mann.
Er soll in den guten Jahren
viele Vorräte sammeln lassen."

Der Pharao antwortet:
„Josef, du bist dieser Mann.
Ich weiß, daß Gott dir hilft.
Alle Ägypter sollen dir gehorchen.
Sammle Vorräte in meinem Land!“

Die sieben guten Jahre kommen.
Viel Korn wächst auf den Feldern,
so viel wie Sand am Meer.
Josef befiehlt:
„Baut große Speicher!"
Die Speicher werden voll.
Große Vorräte sind da.

Die sieben mageren Jahre kommen.
Die Menschen haben Hunger.
Sie kaufen Korn bei Josef.
Menschen aus vielen Ländern kommen.

Auch Jakob schickt seine Söhne nach Ägypten.
„Kauft Korn, damit wir nicht verhungern."

Die Brüder verneigen sich vor Josef.
Sie wissen nicht, wer er ist.
Aber Josef erkennt seine Brüder.

Josef weint vor Freude. Er sagt:
„Ich bin Josef, euer Bruder.
Lebt mein Vater noch?"

Die Brüder erschrecken.
Sie haben Angst.

Josef beruhigt sie:
„Ich bin nicht mehr böse auf euch.
Gott hat mich mächtig gemacht.
Darum kann ich euch helfen.
Holt auch den Vater nach Ägypten
und wohnt alle hier."

Jakob zieht mit seiner ganzen Familie
nach Ägypten.
Alles ist jetzt gut.

Noch siebzehn Jahre lebt Jakob in Ägypten.
Seine Kinder, Enkel und Urenkel bleiben dort.
Das Volk Israel wird groß.

Wir können mit Gott reden.
Wir können ihm alles sagen.

Abendgebete

Alle Lichter gehen aus.
Dunkel ist das ganze Haus.
Ich sehe Schatten an der Wand.
Dunkel ist das ganze Land.

Meine Eltern sind nicht fern.
Sie sind bei mir, ich hab sie gern.
Ich höre sie vor meiner Tür.
Gott, ich danke dir dafür.

Amen.

Müd ist mein Bein. Müd ist mein Arm.
Ich lieg im Bett, da ist es warm.
Wie schön zu schlafen und aufzuwachen!
Ich habe viele schöne Sachen.

Du großer Gott, du bist bei mir.
Du großer Gott, ich danke dir.

Amen.

Da ist ein Mann, der lebt allein.
Da ist eine Frau, die wohnt im Heim.
Sie können nicht mehr gut hören und sehen.
Sie können nur langsam spazieren gehen.

Sie sind oft ganz allein beim Essen.
Die Freunde haben sie vergessen.
Kennst du die Frau? Kennst du den Mann?
Denkst du an sie? Lachst du sie an?

Der Junge mit dem schwarzen Haar
spricht sonderbar.
Er kommt aus einem fernen Land.
Er sitzt am Rand.
Er sucht einen Freund und findet keinen.
Er möchte weinen.
Lassen wir den Jungen allein?
Bitte nein!

Annes Familie wird größer!

„Anne, wohnt Gott in der Kirche?“

In der Kirche wird Hochzeit gefeiert.
In der Kirche sind wir getauft worden.

Kinder und Erwachsene gehen
zum Gottesdienst in die Kirche.

Sie beten zu Gott.
Sie danken Gott.
Sie hören Geschichten von Jesus.

Du hast uns, Herr, gerufen,
und darum sind wir hier.
Wir sind jetzt deine Gäste
und danken dir.

Alles ist wieder gut!

Alle sind wieder Freunde.
Sie feiern ein großes Fest.
Sie essen.
Sie trinken.
Sie lachen.
Sie singen zusammen ein Lied.
Alle dürfen dabeisein.

Text: Regine Schindler · Melodie: Martin Gotthard Schneider

Liebe Eltern,

wir hoffen, daß das erste Religionsbuch der Kinder auch Ihnen Freude bereitet. Schauen Sie es mit Ihrem Kind zusammen an, und lassen Sie sich erzählen, was in der Schule zu den einzelnen Seiten gesagt wurde.

Es handelt sich hier um ein Buch, das sich zunächst kaum von den Bilderbüchern der Vorschulzeit unterscheidet. Zwei Kinder, Martin und Anne, sind die Hauptfiguren. Ihre Erlebnisse zu Hause und in der Klasse kann man fast ganz aus den Bildern erraten. Es ist unser Anliegen, daß Ihr Kind dabei über sein eigenes Leben nachdenkt, gleichzeitig aber erfährt, daß Gott mit diesem Leben etwas zu tun hat:
Die Geschichte von Martin und Anne veranlaßt Ihr Kind, seine Gefühle auszusprechen und über sie Klarheit zu gewinnen. Es lernt, seine Probleme zu sehen und sich darüber zu äußern. Vielleicht scheint es Ihnen, als habe dies nichts mit dem christlichen Glauben zu tun. Doch gerade Erfahrungen wie Freude und Leid, Geborgenheit und Verlassenheit, Angenommensein und Einsamkeit wecken bei den Kindern Fragen. Und als Antwort auf solche Fragen erfahren die Kinder: Jeder Mensch ist Gott wichtig; Gott sorgt für alle; wir können diesen Gott bitten und ihm danken.

So wird das Kind zusammen mit Martin und Anne vorsichtig zum Gebet geführt. Anhand der Geschichte und einfacher Gebetstexte lernt es Gottes Güte kennen. Wir hoffen, in Ihrem Kind dadurch das Vertrauen in den gütigen Gott zu wecken und zu stärken. – Gleichzeitig lernt es, was Verantwortung ist; denn nicht nur das Kind selbst, auch jeder andere Mensch ist Gott wichtig. Freude und Glück, aber auch Traurigkeit und Einsamkeit kann schon das Kind mit andern teilen.

Die Geschichte von Martin und Anne wird zweimal unterbrochen: durch die Geschichten aus dem Alten und Neuen Testament, die in anderer Weise bebildert sind und das Kind in eine neue, noch unbekannte Welt führen, zu Menschen aber, die Gott besonders nahe erfahren haben. Mit Josef lernt es einen in schweren Nöten von Gott behüteten Menschen und gleichzeitig ein Stück der Welt des Alten Testaments kennen. Diese Geschichte, die auch eine Familiengeschichte ist, fügt sich dort gut ein, wo auch von Martins und Annes Familie die Rede ist.

Nach Jesus, dem Zentrum unseres christlichen Glaubens, beginnt Ihr Kind sicher im Zusammenhang mit dem Weihnachtsfest zu fragen. Darum wird beim Thema „Weihnachten“ die Geschichte von Martin und Anne zum ersten Mal unterbrochen: Das Kind wird mit Jesus und seiner Geschichte, dem Kernstück dieses Buches, vertraut gemacht. Sie hat mit dem Alltag und den täglichen Erfahrungen Ihres Kindes noch nicht direkt zu tun. Sie berührt das Kind aber gerade in ihrer Andersartigkeit stark und weist hin auf das ganz Neue, das durch Jesus zu den Menschen kommt: Die Jünger, der Blinde und der Zöllner erhalten durch Jesus ein ganz neues Leben; sie lernen durch Jesus Gott kennen. Sie stehen stellvertretend für alle Menschen. Indem das Kind von Jesus hört, lernt es Gott kennen.
Es erfährt, daß Gott der Vater aller Menschen ist. Vielleicht fängt es an, mit Gott zu rechnen – für sich selbst und für andere, deren Probleme es zu sehen beginnt. Es wäre schön, wenn Sie Ihr Kind dabei begleiten würden.

Regine Schindler
Walther Eisinger

Quellen:
Lied Seite 6: Evang. Kirchengesangbuch Nr. 6, Str. 1 und 3;
Vers Seite 57 unten: Kurt Rommel

0.35